SALVADOS DE LA EXTINCIÓN

LOS MAMÍFEROS

I0867176

BLACK RABBIT BOOKS

JOANNE MATTERN

TABLA DE CONTENIDOS

1. Bisonte americano 4

2. Pantera de Florida 6

3. Hurón de patas negras 10

4. Panda gigante 12

5. Lobo gris 15

6. Tigre 18

Más para explorar 21

1

Bisonte americano

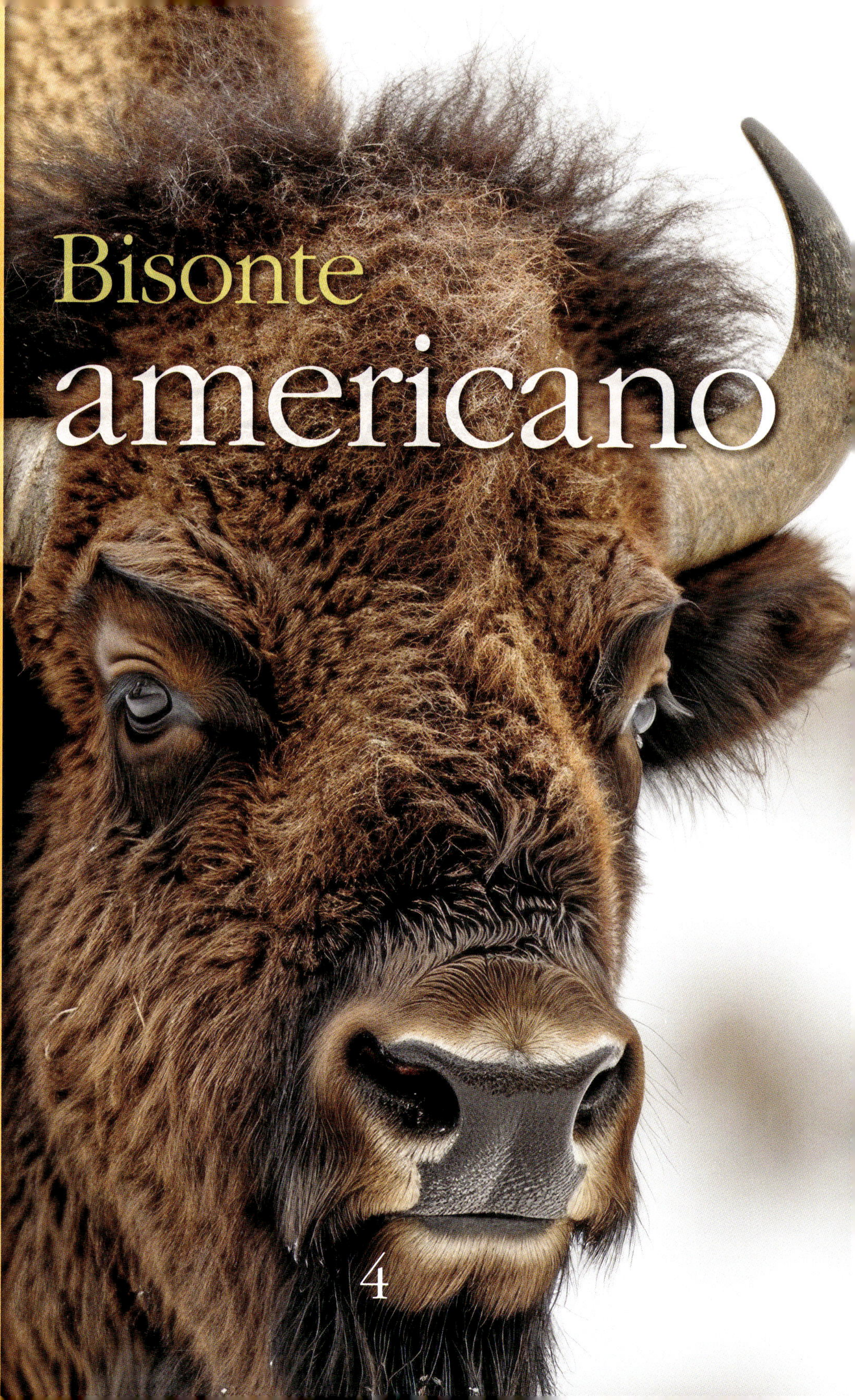

Hasta el siglo XIX, millones de bisontes americanos vivían en las Grandes Llanuras. Los indios americanos cazaban bisontes. Comían su carne. Utilizaban sus huesos para fabricar herramientas. Hacían ropa con sus cueros gruesos y peludos.

Luego llegaron los colonos blancos. Mataron a casi todos los bisontes. Ocuparon las praderas donde vivían los bisontes. En 1889, quedaban unos 500 bisontes.

El gobierno de los EE. UU. y las naciones indígenas intervinieron para ayudar. Crearon lugares seguros para los bisontes. Poco a poco, estos grandes animales reaparecieron. Hoy unos 31,000 bisontes salvajes deambulan por el país.

Pantera de Florida

Estos grandes felinos solían vivir por toda Florida. Pero demasiada gente los cazaba. También construyeron casas en la tierra de la pantera. Muchos felinos fueron atropellados por coches.

Los científicos intervinieron para ayudar. Construyeron puentes especiales para que los felinos cruzaran la carretera. El gobierno reservó un terreno. Era un lugar seguro para que vivieran los felinos. Hoy viven en Florida unas 200 panteras. La gente espera que esa cifra aumente aún más.

¿Sabías que...?
El 16 de marzo es el Día de Salvar a la Pantera de Florida.

3 Hurón de patas negras

Estos animales viven en las praderas de América del Norte. Se alimentan principalmente de perritos de las praderas. En la década de 1960, se construyeron ciudades en las praderas. La gente **envenenó** a los perritos de las praderas. Esto también provocó la muerte de los hurones.

La gente pensó que todos los hurones habían desaparecido. En 1981, un perro encontró algunos en un rancho de Wyoming. El gobierno se apresuró a salvar a los hurones. Los zoológicos los criaron. Luego los liberaron en lugares seguros. Hoy el hurón todavía se enfrenta al peligro. Pero tiene buenas posibilidades de sobrevivir.

Piensa en esto

¿Cómo pueden el gobierno y los zoológicos trabajar juntos para salvar a los animales?

4

Panda gigante

El panda gigante se enfrentó a muchos problemas. Los pandas solo comen bambú. Pero muchos bosques de bambú fueron talados. El panda no tenía comida ni un lugar donde vivir. En la década de 1960, los animales estaban en serios problemas.

El gobierno chino intervino para ayudar. Hizo que fuera ilegal talar bambú o cazar pandas. Envió pandas a zoológicos de todo el mundo para que se reprodujeran.

Desde 2021, los pandas gigantes ya no están en peligro de extinción. Todavía enfrentan muchos problemas. Pero China y los zoológicos están ayudando a mantener con vida a este adorable animal.

¿Sabías que...?
Los pandas gigantes suelen tener una cría cada dos años.

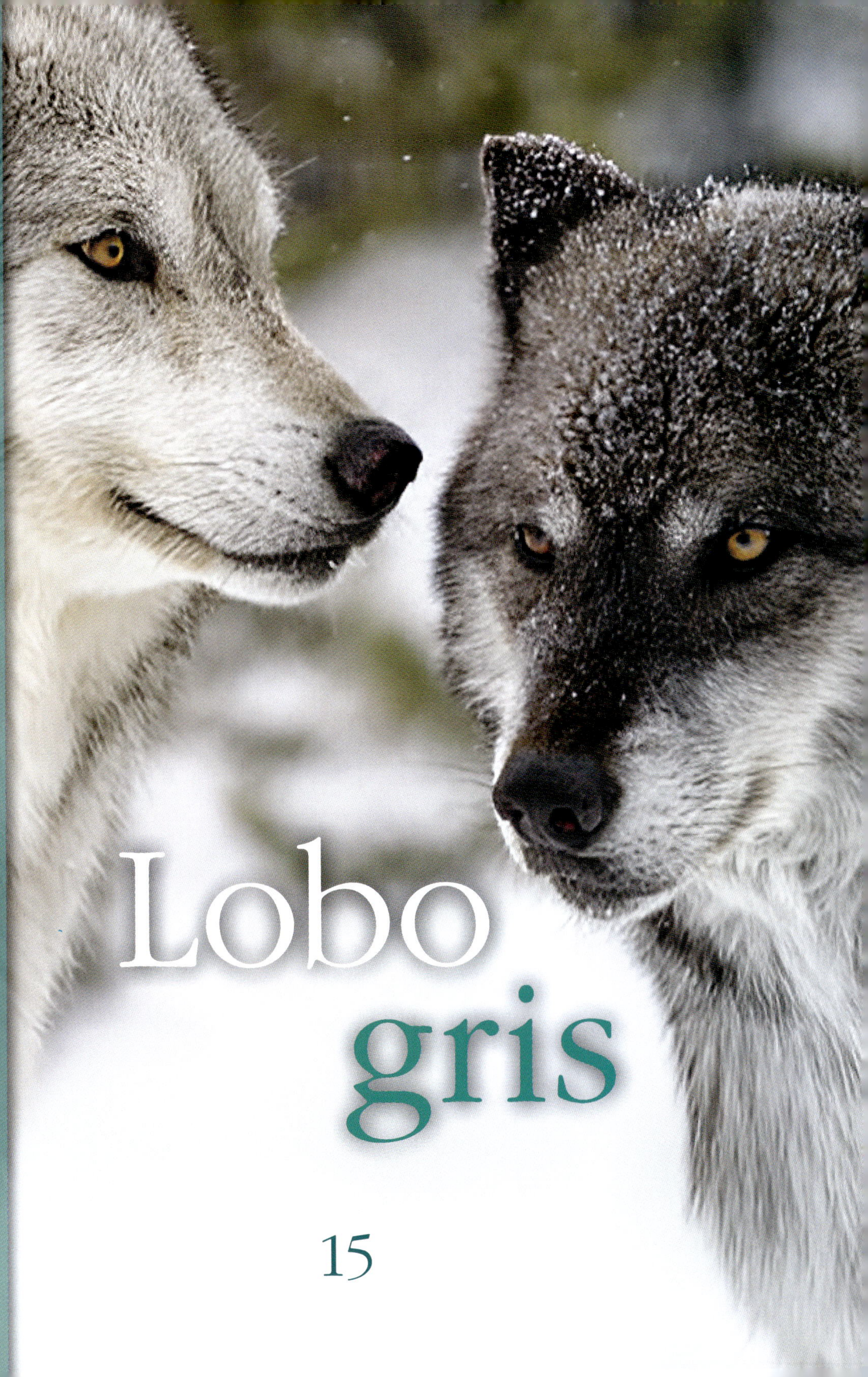

5

Lobo gris

Mucha gente odia o teme a los lobos. A principios del siglo XX, muchos lobos habían sido asesinados. El animal casi desapareció de los Estados Unidos.

La gente quería salvar al lobo gris. El gobierno aprobó una ley para detener la caza de lobos. Esto protegió a los animales. Pero era necesario hacer más. En 1982, se dejó libres a los lobos grises en algunos parques nacionales. Hoy el lobo gris se encuentra bien en los Estados Unidos.

Piensa en esto

¿Cómo ayudó el regreso del lobo gris a las zonas donde vive?

6

Tigre

En el pasado, los tigres se encontraban por toda Asia. Ahora, su hábitat está desapareciendo. Muchos son cazados por su piel. A otros se los mata para fabricar medicamentos. Parece que los tigres están condenados a extinguirse.

Varios países tienen leyes para proteger a los tigres. Los gobiernos establecen lugares seguros para que vivan. Los zoológicos también están ayudando a salvar a los tigres en todo el mundo. Estos animales se reproducen bien en cautiverio.

¿Sabías que...?
Hay más tigres viviendo en zoológicos que en estado silvestre.

MÁS PARA EXPLORAR

¿EN QUÉ PARTE DEL MUNDO?

BISONTE AMERICANO
Grandes Llanuras de América del Norte

HURÓN DE PATAS NEGRAS
Grandes Llanuras de América del Norte

PANTERA DE FLORIDA
Florida, Estados Unidos

LOBO GRIS
Partes del norte de América del Norte, Europa y Asia

TIGRE
India y el sudeste asiático

PANDA GIGANTE
China central

MÁS PARA EXPLORAR

DATOS FANTÁSTICOS

A pesar de su enorme tamaño, los bisontes pueden correr más rápido que los caballos.

Un hurón de patas negras puede comer más de 100 perritos de las praderas en un año.

El alimento favorito de la pantera de Florida son los ciervos y los jabalíes.

China posee todos los pandas gigantes del mundo.

Todas las razas de perros están relacionadas con los lobos.

A diferencia de la mayoría de los felinos, los tigres aman el agua y son grandes nadadores.

MÁS PARA EXPLORAR

COMPARACIONES INTERESANTES

Estos animales están reapareciendo. ¿Cuántos viven hoy en estado silvestre?

Bisonte americano
alrededor de 20,000

Hurón de patas negras
alrededor de 350

Pantera de Florida
alrededor de 200

Panda gigante
alrededor de 1,800

Lobo gris
alrededor de 6,000

Tigre
alrededor de 4,000

MÁS PARA EXPLORAR

RECURSOS

Glosario

reproducirse Dar a luz o producir descendencia.

cautiverio El estado de estar retenido en un lugar y no poder salir o ser libre.

extinto Cuando una especie de planta o animal ya no existe.

hábitat El lugar donde crece o vive una planta o un animal.

cuero La piel de un animal grande, como una vaca o un búfalo.

ilegal Algo que va contra la ley o las normas.

veneno Algo que puede matar o herir a personas o animales cuando se ingiere.

Índice alfabético

bambú, 13
caza, 5, 8, 13, 16, 19
China, 13, 22
felinos, 8, 19, 22
indios americanos, 5
leyes, 13, 16, 19
pérdida del hábitat, 5, 8, 11, 13, 19
protecciones, 5, 16, 19
veneno, 11
zoológicos, 11, 13, 19, 20

TOP RANK es publicado por Black Rabbit Books, P.O. Box 227, Mankato, MN, 56002.

• COPYRIGHT © 2026 Black Rabbit Books. • Derechos de autor internacionales reservados en todos los países. Prohibida la reproducción total o parcial de este libro en cualquier forma sin permiso escrito del editor.

• Top Rank un sello de Black Rabbit Books • Diseñadora de la serie: Danny Nanos • Diseñadora del libro: Jason Knudson • Fotografías © Alamy Stock Photo/ Larry Richardson / Danita Delimont, 8, Laura Romin & Larry Dalton, 11; Dreamstime/Pavel Shlykov, 14, 21, 23, Timothy Mimm, 10, 21, 23, Ylivdesign, 4, 21, 23; Freepik/goinyk, 12, Josef Svoboda, 6–7, 21, 23; Minden Pictures/Gerard Lacz / FLPA, 20; Shutterstock/dangdumrong, 13, Ernie, 17, 21, 23, Jean-Edouard Rozey, 5, KensCanning, 15, PhotocechCZ, 18, 21, 23, Puttachat Kumkrong, 2, 19, Splendid Photos, cover, 1, The Len, cover, 1, Vaclav Sebek, 9; SuperStock/Jim Brandenburg/Minden Pictures, 16 • Impreso en India

Library of Congress Cataloging-in-Publication Data: Names: Mattern, Joanne, 1963- author. | Title: Los mamíferos: salvados de la extinción / by Joanne Mattern | Other titles: Mammals. Spanish | Description: Mankato, MN: Top Rank is an imprint of Black Rabbit Books, [2026] | Series: Salvados de la extinción | Includes index. | Ages 8–11 | Grades 2–3 | Identifiers: LCCN 2024054670 (print) | LCCN 2024054671 (ebook) | ISBN 9781644669716 (library binding) | ISBN 9781644669853 (paperback) | ISBN 9781644669990 (ebook) | Subjects: LCSH: Rare mammals—Conservation—Juvenile literature. | Endangered species—Juvenile literature. | Classification: LCC QL706.8 .M37818 2026 (print) | LCC QL706.8 (ebook) | DDC 599.168—dc23/eng/20250127